步印儿童丛书

图书在版编目（CIP）数据

笔墨纸砚 / 那志良著 . -- 贵阳：贵州教育出版社，2019.4

（那爷爷讲国宝的故事）

ISBN 978-7-5456-1234-9

Ⅰ.①笔… Ⅱ.①那… Ⅲ.①文化用品—鉴赏—中国—古代—儿童读物 Ⅳ.① K875.4-49

中国版本图书馆 CIP 数据核字 (2019) 第 053782 号

笔墨纸砚
那志良 著

责任编辑	卢　玫
特约编辑	胡静文
出版发行	贵州出版集团 贵州教育出版社
社　　址	贵阳市观山湖区会展东路 SOHO 区 A 座 （电话 0851—82263049 邮编 550081）
印　　刷	北京华联印刷有限公司
开　　本	889mm×1194mm 1/12
印　　张	64 印张
字　　数	410 千字
印　　数	1—8000 册
版次印次	2019 年 4 月第 1 版 2019 年 4 月第 1 次印刷

书　　号　ISBN 978-7-5456-1234-9

定　　价　288.00 元（全 10 册）

如发现印、装质量问题，影响阅读，请与印刷厂联系调换。

厂址：北京经济技术开发区东环北路 3 号　电话：010-87110909　邮编：100176

那爷爷讲国宝的故事

笔墨纸砚

那志良 / 著

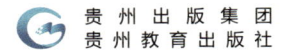

贵州出版集团
贵州教育出版社

出版说明

国宝是什么？不同的人会有不同的答案。

而孩子们的那爷爷——那志良，这位兼具童心和学识的故宫元老，对这个问题有着深深的体会和自己独到的见解，他有很多很多的话要说，尤其是要对孩子们说，于是就有了你手里的这套书。

提到那志良，最让人敬佩的，是他守护故宫国宝七十年。七十年的钻研和熏陶，让他讲起文物来，不仅有独到而专业的视角，更带有一份珍贵的回忆和特别的感情。

战火纷飞的年代，他保护故宫文物南迁，辗转至四川峨眉时，和珍贵的文物朝夕相处，有八年之久。

后来，为了给孩子讲好文物，那爷爷更是愿意"蹲"下来写作。一字一句，都是从孩子的角度出发，甚至还把逛博物馆的场景搬到书里来。于是，一件件文物在那爷爷风趣的文字中苏醒过来，把它们亲历的过往生动地展现在我们眼前，为孩子推开认识历史、认识文物世界的全新大门。

不论是一支薄薄的残简，还是一尊沉重的毛公鼎，在那爷爷的笔下，它们不是冰冷冷的、用玻璃罩起来的陈年古物，而是和所有人都息息相关的，和现实生活未曾脱离的、中国人的共同记忆。

那爷爷用最生活化的场景和语言，剥开文物的斑斑锈迹，将它们最亲切、最本真的一面呈现在孩子面前。读他的文字，你会发现，陈列在博物馆中的，不仅仅是我国的历史，更是从古至今，世世代代的中国人都经历过的真实的生活。

那爷爷的文字通俗易懂，但古代的器物不免涉及许多生僻字，我们给这些字加了注音，以便孩子们可以没有障碍地畅快阅读。这套书成书较早，我们根据新近的考古发现对内容做了更新，保证大家学到的都是可靠的知识。我们尽力搜求或修复最清晰的文物图片，又增添了许多手绘图，只求为孩子们呈现文物的精美样貌，让那爷爷笔下的宝贝清清爽爽、明明白白地呈现在孩子们面前。

此外，为了引起孩子们的兴趣，我们在文中配以富有童趣的小插画和历史人物、历史场景的想象图，并在每册最后设置了"请你想一想"，力求让孩子们能在回顾知识的同时活跃思维。希望这些小设计可以增加阅读的乐趣和成果，更希望您能带上一本书，牵着孩子的小手，快乐地走进文物与历史的大天地。

目 录

01 / 纸

我们常说纸是蔡伦发明的，但事实上，在蔡伦之前就已经有了纸。这到底是怎么回事呢？

16 / 笔

笔是我们在生活中最常见的东西，可你有没有想过，人们是从什么时候开始使用笔的呢？

20 / **墨**

墨，黑乎乎的，看起来平淡无奇，但就是那么小小的一块，也要二十多个步骤才能制成。

34 / **砚**

不是所有的石头都可以拿来制成砚台，为了找到最优的石料，不知有多少人试过多少种石头呢！

42 / **请你想一想**

成衣

纸

常听人称赞谁有学问，说他是"学富五车"。照这个词的字面儿看，免不了叫人产生疑问：有五辆车，怎么能算是富呢？就算是富吧，和有学问又有什么关系呢？难道学问是用车来量的吗？原来"学富五车"这个词是有来历的。

在两千多年以前，我国战国时代，有一位非常有学问的人，名字叫惠施，他实在喜欢读书，不管什么时候看见他，他都是在读书，甚至出门旅行时，也带着书去。他的书多得不得了，要五辆车才能装完。后来的人，要是称赞别人有学问，或是书读得多、知识丰富，就根据惠施的事迹，说那个人是"学富五车"。

不过实际上，惠施的书也并不像我们想象得那么多。因为那时候的书，和现在的书差别太大了。那时候还没有纸，字是写在竹片上的，这种竹片叫作"简"。一片一片的竹简用皮带子或是绳子按照先后次序编起来，好像竹帘子一样，就叫作"册"。

"册"这个字，是根据编起来的竹简的形状而造出来的。因为一片竹简写不了多少字，所以一部书要编很多册。现在我们

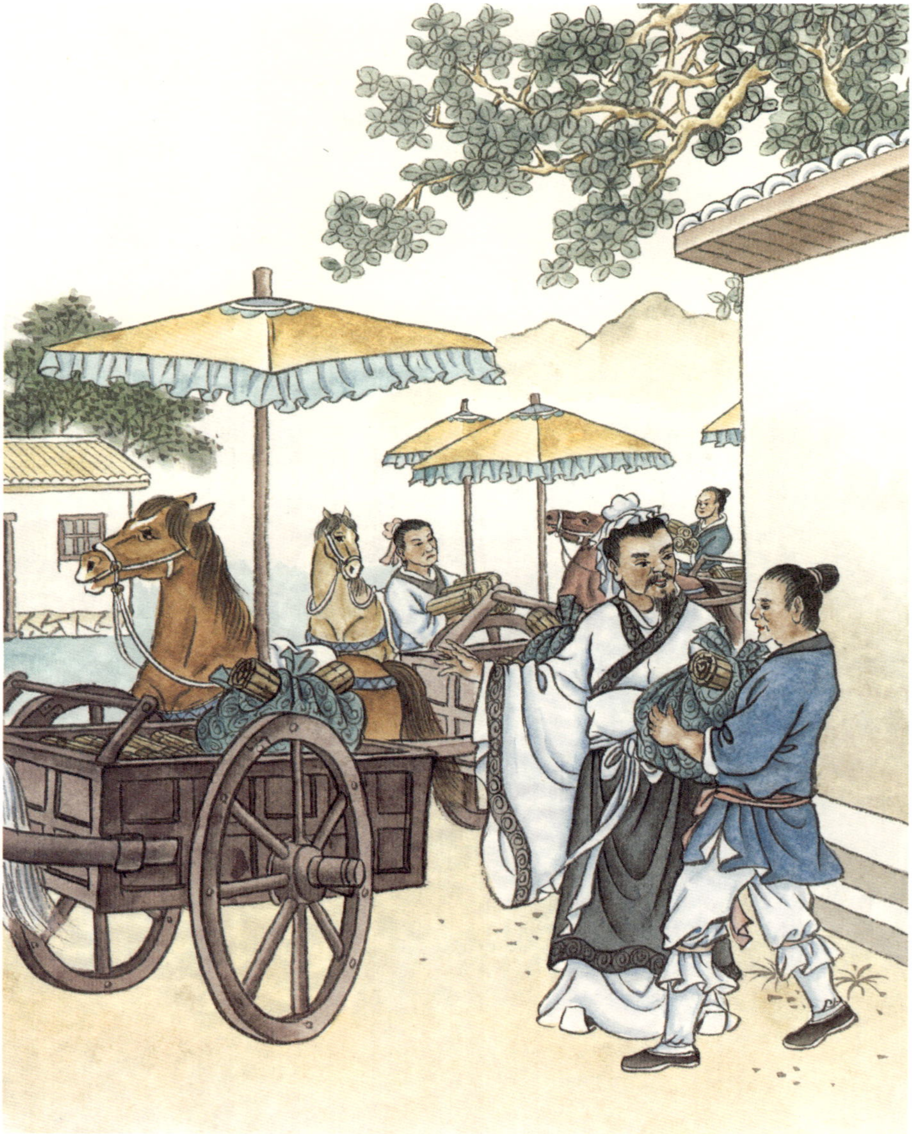

虽然也说"一册书""两册书",这"册"的厚薄、所占的地方和以前的"册",就大有不同。以前的一册,也许只有我们现在的几页;以前的一车书,也许只有现在的几十册。所以惠施的五车书,在当时算是很多了,用现在的眼光看,倒也不是不可想象的那么多。

把字写在竹简上时,因为竹子有很多汁液,容易腐朽,而且竹简存放日子久了,也会生虫。这使读书的人感到很困扰,他们想尽了办法,补救这些缺点,做竹简以前,有时还要去掉竹子外面的青皮。

写字以前,要把竹简用火烘一烘,把竹简里面的水分烘出来,这样既方便刻字,生虫子的机会也少了,这步手续叫"杀青",也叫"汗简"。

04

不管怎样处理竹简，它根本上的缺点还是除不掉。它太占地方，书写不方便，又太重，虽然后来有人用木简代替竹简，也方便不了多少。

我国的蚕丝发明很早，在给蚕茧抽丝的时候，会有一些丝头渣子一类的东西留下来。有人就动脑筋把这些东西煮烂、漂白，然后用竹制的细帘子抄上来，等干了以后揭下来，就可以用来写字，而且很好用，比用竹简方便多了，因此受到读书人的喜爱和欢迎。这种东西，就叫作"纸"。

古人造字，常常用字的一边来表示这种东西的质料或类别，一边表示应该读的音。

⊙ 相传嫘祖发明养蚕

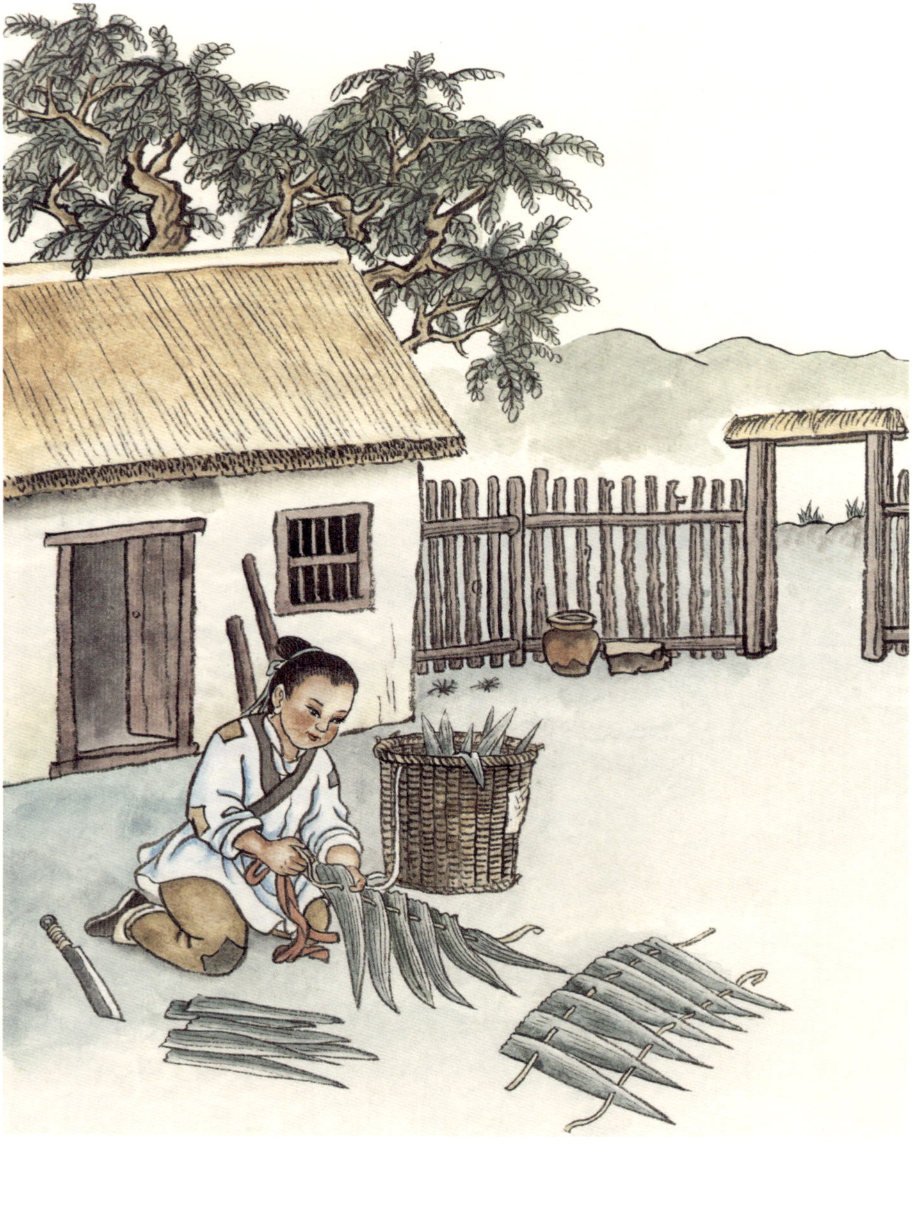

所以"纸"字一半是"纟",一半是"氏"(zhī)。不过这只能说是很原始的纸,因为质地比较粗,也不能普遍被使用。造纸的原料虽然是制丝的副产品,可是消耗量大,也就不便宜,一般人还是用不起,读书写字还是非常困难。就像汉朝的学者路温舒,他小时候,家里很穷,写字买不起纸,又嫌竹简太重。他就自己想了一个办法,把河里的蒲草截成像竹简那么长,密密地编织起来,在上面写字。可见古时候小孩子读书是多么不容易啊。

到了东汉和帝元兴元年,就是公元105年,真正进步的、价廉的纸终于出现了。

那时候,宫里有一个太监,名叫蔡伦,才学不错,得到和帝的信

⊙ 蔡伦像

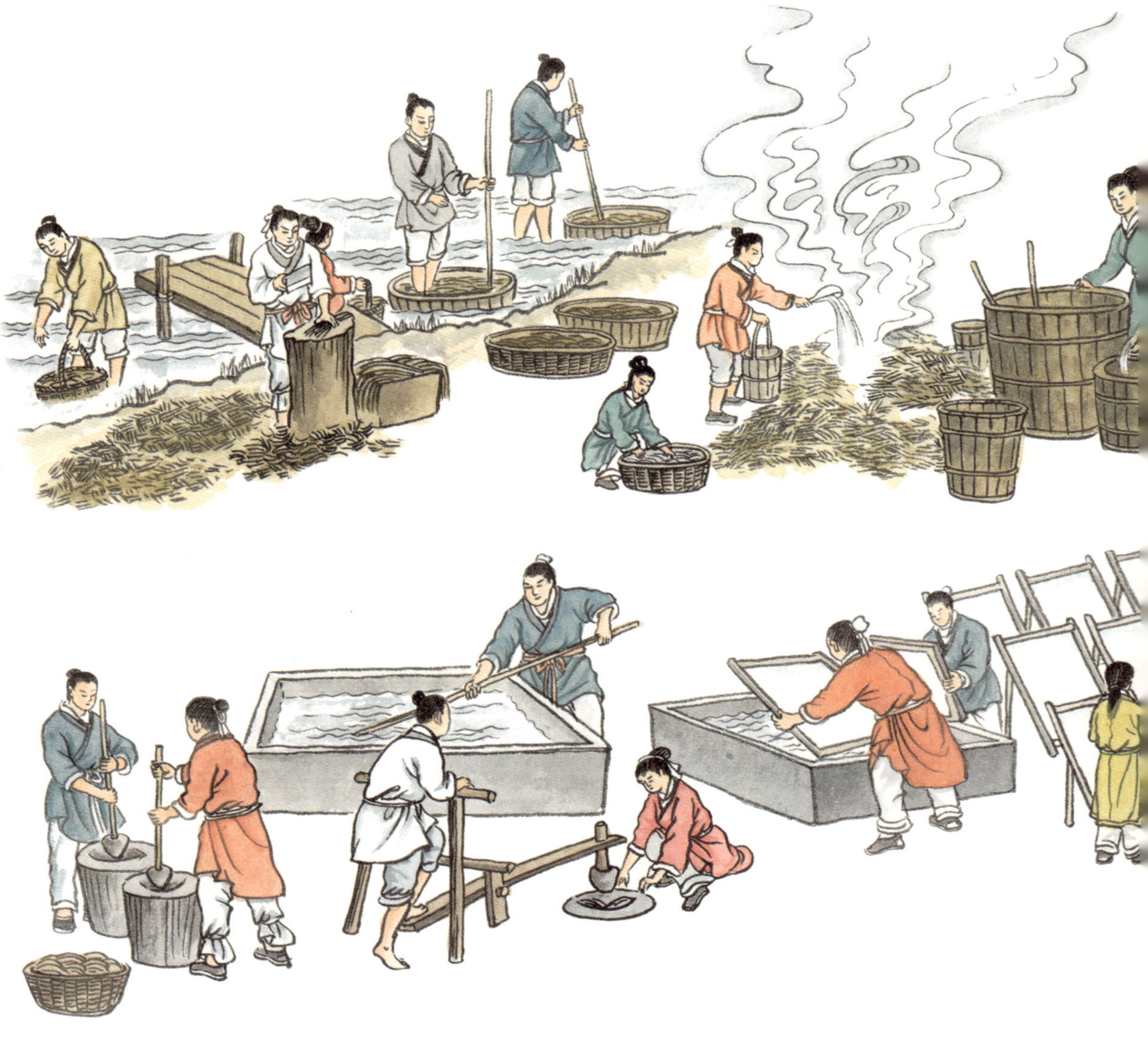

任,被派做"中常侍";更兼任"尚方令",等于是宫里面工程处处长的职位。他感觉到宫里用纸越来越多,费用很大,就动脑筋想,看有没有其他更便宜的东西,用来做纸。他想:丝头能制纸,那是因为丝有纤维;那么别的有纤维的东西,是不是也可以做纸呢?

于是他弄来一些树皮、麻头、破布、破渔网之类的废物,来做试验。先把这些乱七八糟的东西,放在一起,用水煮过,再放在臼里去捣,捣烂以后,经过漂白,成为浆状,然后仿照做丝纸的办法,用细竹帘抄出来,用火烘干,揭下来,果然也成为纸了。

用蔡伦的材料和方法造出来的纸,可以说是真正的纸了。这种纸原料便宜、很容易获得,可以大量生产,所以它的价钱不贵,一般人都买得起。同时这种纸重量很轻,便于携带,还可以随意裁大小。以前的竹简、木简、丝纸的各种缺点在这种纸上都没有了。到了现在，造纸的方法基本上还是没有多大改变的。

虽然我们平常都说造纸的方法是蔡伦发明的，可是也有人反对，说蔡伦以前已经有了纸，他并不是发明造纸术的人，这也有相当的理由。不过，蔡伦以前的纸，原料是丝，价格昂贵，蔡伦找到了更适宜的原料，才能使纸的价格大众化，大家才可以普遍地使用。从这一点来看，蔡伦虽算不得是纸的发明人，也应当说他是改良造纸技术的人。

自从蔡伦改良了造纸的原料、技术以后，人们又陆续地发现了很多可以用来造纸的原料。可以说，凡是有纤维的东西，都能够用来造纸。

现在我们把古时用竹造纸的方法介绍一下。

下面连续的几张图片都是从《天工开物》上选来的。《天工开物》是专门讲我国明朝时期各种科学技术的一本书。从这几幅图，我们可以了解以前造纸的重要步骤。第一幅图上有一片竹林，里面有两个人正在那里砍竹子。他们先要把竹叶去掉，然后把竹子浸到水里去。我们可以看见下面那个长方形的池塘里，已经泡了一些竹子了。旁边还有一个水管，不断地把水注进去。这张图叫《斩竹漂塘》，就是说砍了竹子，再把竹子漂在水塘里。

斩竹漂塘

要这样把竹子泡过一百天以后,捶打洗净,再放在石灰水里去煮,这就是第二幅图《煮㮸(huáng)足火》的程序了。图里有一个人坐在小凳上烧火,火上煮的就是竹子,竹子要在石灰水

里煮上八天八夜，再经过漂洗、捣烂，使其变成泥浆的样子，然后放在一个槽子里，准备抄纸。抄纸的方法就像第三幅图《荡料入帘》所画的，一个人两手拿着一种极细的竹帘，放在盛满纸浆

煮楻足火

的水槽里，来回荡动，纸浆就会挂在竹帘上面。荡得轻，纸就薄；荡得重，纸就厚，要有纯熟的技术才行。

　　从竹帘上把纸一张一张地揭下来，还要经过第四幅图《透火焙干》中的程序，才算完成。这幅图里画着一个人正在烧火，另外两个人正在把纸烘干。

从蔡伦改良造纸术那一年算起，到现在为止，我们中国使用

纸张已经有将近两千年的悠久历史了。欧洲的第一座造纸厂是1150年在西班牙建的。他们不但用纸比我们晚了一千多年，而且造纸的技术也是从中国学去的。

原来，在公元七世纪后期到八世纪中期的这段时间，现在中亚大部分是阿拉伯人的天下。唐玄宗天宝十年（751年），中国和阿拉伯帝国的军队在怛（dá）罗斯打过一仗，中国军队被掳去了不少人，里面就有造纸的工匠。就这样，我国造纸的技术传到了大食国。公元793年，大食国正式招募中国的造纸工人，并在他们的都城巴格达，建立了造纸厂。以后，造纸术才慢慢地传到欧洲去了。

笔

我们现在所用的笔,种类很多,有毛笔、铅笔、钢笔、圆珠笔,还有画画的蜡笔、水彩笔等等。最早的笔是毛笔,我们要在这儿说的也是毛笔。

一般人都说毛笔是秦朝的大将蒙恬发明的,其实这个说法已经是站不住了。有些证据证明,在蒙恬以前一千多年的殷商时代,就有人用毛笔写字了。考古学家曾经在殷代故都遗址——殷墟(河南安阳)挖出来一些带文字的甲骨。甲骨文一般都是刻在龟甲或兽骨上,可是挖出来的甲骨上,有的只是写好了字还没刻。这些字的痕迹,反映出是用毛笔写的。同时在挖出来的白色陶片上,也有用毛笔写的"祀"字。我们从这张图片上,可以看得很清楚——这几个字,每一笔的末端都是尖尖的,当中的部分比较肥大。这样的字形、这样的笔画,要不是用毛

⊙ 商代白陶片

笔，是写不出来的。

  不过，我们也只能从字迹上来推断殷商时代已经有了笔，因为没有真正殷商时代的笔保留下来。现在世人保留的最古老的笔是战国时代的。河南信阳的战国早期墓中发现的毛笔和笔管可以说是最早的笔了。右面这张图中是一支楚笔，笔锋大约有一寸长，跟现在毛笔的样子相近，是在湖南长沙附近一座战国时代的古墓里发现的。湖北江陵的战国楚墓中也有毛笔，它是与墨块、竹简、削刀一起被发现的。当然，考古学家们也发现了别的时代的笔，这里举出几个。一支是汉笔，是在甘肃居延附近发现的。还

⊙ 战国楚笔，出土时装在一竹筒中，长 21.2 厘米，笔尖为兔毫

⊙ 天平笔，大小近乎一个人的手臂

有一支是日本奈良正仓院收藏的笔，叫"天平笔"，笔锋比较短，据说是唐朝时传入日本的。

既然蒙恬以前那么多年就有了笔，为什么还说蒙恬造笔呢？原因大概也跟说蔡伦造纸一样，蒙恬是改良制笔方法的人。在他以前，笔杆多数是用木制，笔锋用鹿毛或羊毛，蒙恬改用兔毫，笔杆也改用竹，因为竹子圆滑轻便，用起来方便得多。

从清朝以来，我们用的毛笔，多半是

⊙ 清 骨管斗笔，长约 22 厘米 *

羊毫、紫毫和狼毫。羊毫是羊毛做的，比较软，写大字很好用；紫毫是用野兔毛做的；狼毫是用黄鼠狼的毛做的，比较硬，写小字很适合。还有一种笔叫作"七紫三羊毫"，是用七成野兔毛和三成羊毛做的，软硬适度，写小楷最好用了。

* 意为该摄影图来自台北"故宫博物院"官方网站，全书同。

墨

跟笔有密切的关系、又是写字的时候不可缺少的东西，这就是墨。

外国人写字使用钢笔墨水，他们说方便极了，不像我们中国人，写字以前，先要费时间去磨墨。但是他们不知道，用墨写的字，可以经过一两千年都不褪色变色，钢笔墨水就不能这么持久。而且写中国字，用中国纸、中国笔、中国墨，是互相配合得很好的。要是用毛笔蘸着钢笔墨水写字，就有点不对劲，写出来的字，看着不顺眼。虽然有人做了现成的墨汁，可以节省磨墨的时间，但是真正喜欢写字的人，还是很少用。用墨汁写出来的字，效果不如用磨出的墨好；而且磨墨虽是一件麻烦事，却也别有一番情趣。

我们在什么时候就有了墨？在古书里，找不到可靠的记载；可是我们从古代存留到现在的东西里，可以找出一些线索来。比方说在前面谈笔的那一段里，提到在殷墟挖掘出来的东西，有一块陶片上面那个"祀"字就是用墨写的。还有在商代的甲骨上，有用朱砂写的红色字，这就证明我国在殷商时代（公元前

⊙ 甲骨，1936年对殷墟的第十三次发掘中出土

1600—前1046），三千多年以前的人们已经用墨或是朱砂写字了。

制墨的主要材料，一开始是用煤烟，后来改用松烟和胶。松烟是燃烧的松木冒出来的烟。把这种粉状的烟末，想法子收集起来，就成了制墨的主要原料。有了松烟，再加上胶，放在模子里，做成适当的形状，然后倒出来晾干，就成了一块一块的墨。

后来有人感觉到这样做出来的墨，只是黝黑黝黑的没有光泽，写出来的字不漂亮，就改用"油烟"代替松烟。油烟是用桐油或是麻子油等烧出来的烟，用来制墨，不但颜色黑，而且也有光泽。

制墨的方法，这样说一说，好像很简单，其实做起来也不容易。台北"故宫博物院"里，收藏了一卷画，名叫《墨法集要》，相传是清朝人徐扬画的，他画了二十一幅图，把制墨的方法，一步一步地画了出来，每幅旁边都有说明。制墨居然有二十多个步骤，可见并不是很简单的。在这里我们把他画的图介绍几幅。

第一幅图是《烧烟》，房子里面有一个个的尖顶小碗，是"烟碗"，碗口朝下，下面烧油，烧出来的烟，就挂在碗里。旁边的那个童子，一手拿着烟碗，一手拿着鹅毛，把烟扫到一个盆里去。

第二幅图是《搜烟》，把烟收集在一个瓷盆里以后，再把事先煮好的药汁跟胶水，经过一个筛子倒下去，由一个有专门技术的人用手把胶水和烟混合起来，做成一个个的墨球，用布裹好。

23

第三幅图是《蒸剂》，把墨球放到甑（zèng）子里面去蒸。上方是一个木甑，下面烧火。

第四幅图是《锤炼》，蒸完以后，还要放在一个大缸里捣锤，再把它分成一小块一小块的，用铁钳夹好，用铁锤在砧（zhēn）上锤打，要打二三百下，这样，烟和胶才能均匀地糅合在一起。到了这个地步，

25

才能把墨放在模子里面，做成墨块的形状。

从制墨的二十几个步骤看来，制墨也是一种专门的技术。历史上最著名的墨工，要算南唐的李廷珪。他是以作词出名的李后主的"墨务官"。因为他做的墨特别好，李后主又是喜欢文墨的人，就赐他姓李。他本来姓奚，叫奚廷珪，皇帝叫他改姓，还说是"赐国姓"，他也就认为是莫大的荣幸，改叫李廷珪了。

李廷珪的父亲奚超，改了姓以后叫李

超。据说他做的墨，比李廷珪还要好。不过名气不如儿子大，有些人根本不知道他们是父子关系。相传宋朝某一位皇帝，有一次把宫里的藏墨分赠给大臣们。有一位大臣得的是李超所做的墨，而大书法家蔡襄的伯父得的却是李廷珪的墨。那位大臣有些不开心，被蔡襄看出来了，蔡襄就偷偷地问他："您和我伯父换换好不好？"那位大臣很高兴，连忙换了。等从宫廷里出来，大家骑在马上，蔡襄才得意地跟那位大臣说："你知道李超是李廷珪的父亲吗？"那大臣听了，才觉得后悔，但已经来不及了。

  北宋时代，著名的墨工是潘谷。他不但会做墨，还会鉴别墨的真伪。墨就是墨，本来没有什么真假的问题，潘谷能辨别墨的真伪，是他能分辨得出哪一块墨是名工自己做的，哪一块是冒名的人做的。宋朝的大书法家黄庭坚，就考验过他的本领。传说有一回，黄庭坚拿了许多块墨，其中只有一块是真正出于名家李承晏，也就是李廷圭侄子之手的。他把这些墨放在一个袋子里，叫潘谷用手伸进去摸，结果潘谷竟然把那块唯一的李承晏做的墨给拿出来了。

  我们都知道宋徽宗是一位多才多艺的皇帝，喜欢写字画画。他叫人制过一种特殊的墨来用。这种墨里加了许多珍贵的材料，大家把它看作宝贝一样。当时金国的章宗，也喜欢艺术，喜欢写

28

⊙ 程君房制兰亭修禊图圆墨 *

字,更喜欢临摹宋徽宗的字。对于宋徽宗的特制墨更是想要得不得了,他居然出一斤黄金的高价要买一两那样的墨,结果还是买不到,叫人仿做又做不好。所以这种墨被称为"墨妖",墨里的妖精,得不到是没办法的事。

到了明朝,制墨的名手就比较多了。以程君房跟方于鲁最有名。程君房是一个很风雅的人,开了一家墨厂,他做的墨很早就出了名。方于鲁本来是在他的墨厂里做事的，人很聪明，把程君房做墨的秘诀都学会了。后来因故与程君房决裂，离开了程家。出来以后，自己就设厂做墨，跟程君房比本领。他的名气渐渐和程君房不相上下，两个人成了商场上的死对头。程君房一想起当初怎样培植这个伙计，心里就气，于是刻了一部《墨苑》，后面

⊙ 方于鲁制齐云盛景八角墨*

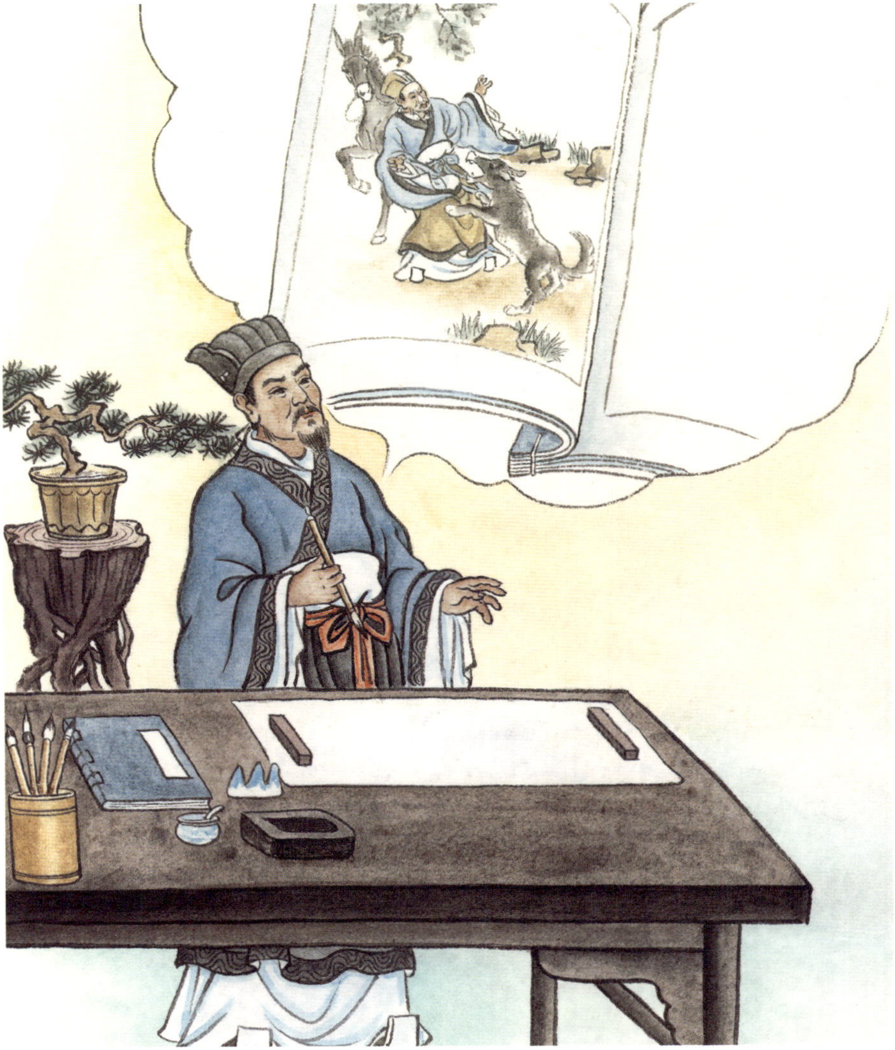

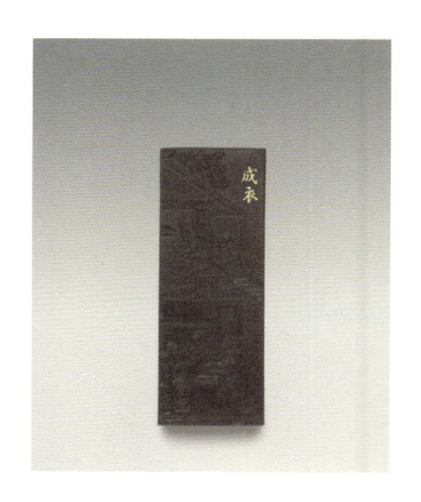

⊙ 曹素功制耕织图墨 *

又附刻上《中山狼传》，还有插图。《中山狼传》是写一只受伤的狼，得到别人的帮助才得逃命，可是一脱离危险，立刻翻脸要吃掉救他的人。程君房刻这个故事就是骂方于鲁忘恩负义，像那只中山狼一样。

　　清代的墨，数曹素功做得最好，胡开文的墨也很有名。明清两代，五色墨很盛行。墨的颜色有石青、石绿、朱砂、石黄、白五种，对画画儿的人来讲，是很方便的。

　　墨本来是实用的东西，现在有些人收藏许多墨，并不是为了写字用，而是把墨当作艺术品一般看待了。

⊙ 清 嘉庆御制"万春集庆"五色墨 *

砚

有了纸、笔、墨,没有砚台,还是写不成字。所以砚台的发明,一定是和笔墨同时的。也许砚台算不上是什么发明,不像纸、笔、墨那些东西,需要科学的方法和技巧。可是当初人们一定试过很多东西,才发现石头是最适合的。而石头也不是随便拿一块来就可以做成个好砚台,不知道多少人试过多少种石头,才知道只有某几种石头才能做出最好的砚台来。

一般地说,好的砚台要能"发墨",还要"不渗墨"。

我们在文具店里几块钱就能买到一个塑料砚台,这种砚台表面太软又太光滑,用墨在上面磨,磨了半天也磨不出墨来,这就叫作不能"发墨"。所以塑料砚台只有砚台的形状,根本没有砚台的磨墨作用,只能把墨汁倒在上面来蘸着写字。

石砚当然是适合磨墨了。要是石头的质地太细,也不容易发墨;要是石头质地太粗,虽然容易发墨,可是磨出来的墨汁,不够细,写字不好用,同时笔在上面掭(tiàn)来掭去地蘸墨,也容易伤了笔锋,用不了多久,就变成一支秃笔了。质料粗的石头,还有一个毛病，就是吸收水分很快。用这种砚台磨出的墨，一会儿水分就渗到砚台里面去，墨就很快地干了，这就叫渗墨。所以一个好砚台，石头的质料一定要粗细适度才好。

最有名的砚是"端砚"和"歙（shè）砚"。端砚是用广东省羚羊峡斧柯山的石头做的砚台。因为在斧柯山的西边，有一条河

⊙ 清 雍正端石壶卢砚 附松花石砚盒 *

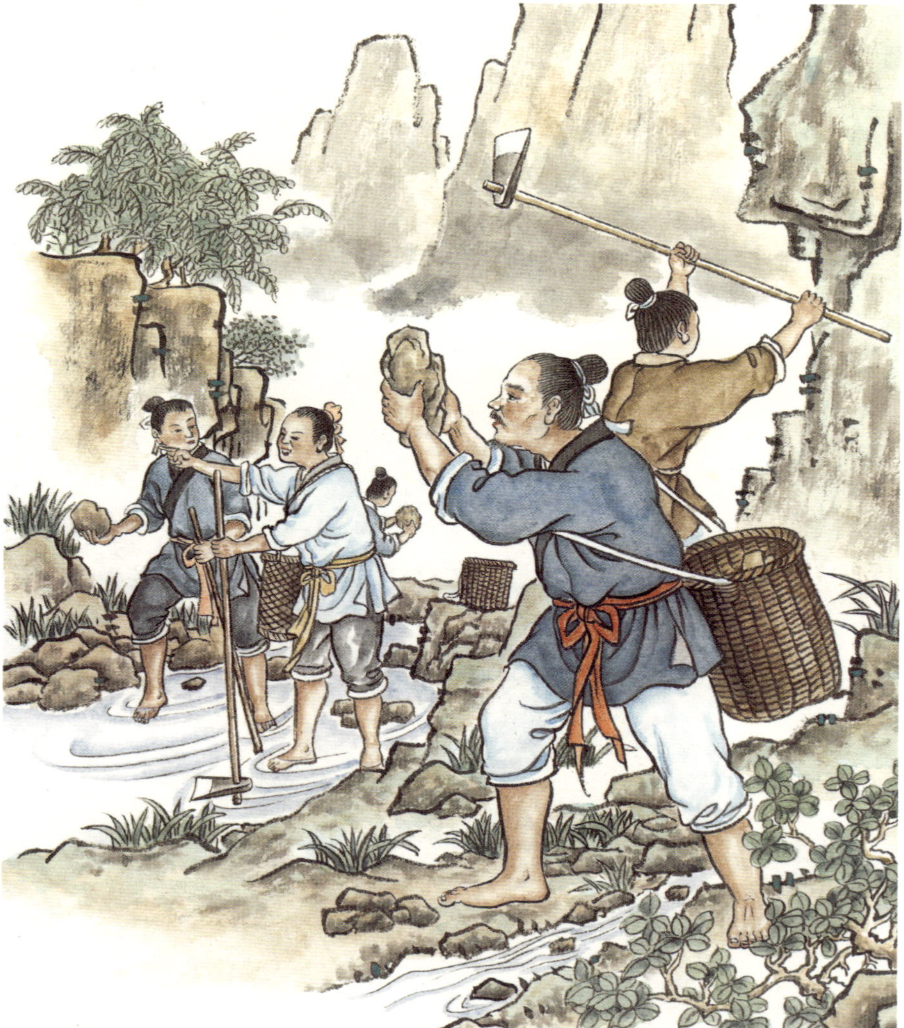

⊙ 明 宣德款歙石蓬岛仙壶砚 附百宝嵌砚盒 *

叫端溪，所以叫端砚。

　　端砚石头的颜色大多数是青紫色，也有猪肝色和天青色的。这座山上的石头都适合做砚，但以山底下的一层石头为最好，那是因为离水近，石质恰好适度，容易发墨，又不容易渗墨。

歙砚产于江西省婺（wù）源县罗纹山的歙溪，所以叫歙砚。歙砚的好处和端砚是一样的。

不管做哪一行业的人，都爱护自己的工具。像木匠、石匠都有自己心爱的工具，喜欢写字的人也不例外。差不多每一位前代的书法家，都有他们心爱的砚台留传下来。台北"故宫博物院"里，就有许多古砚收藏着。

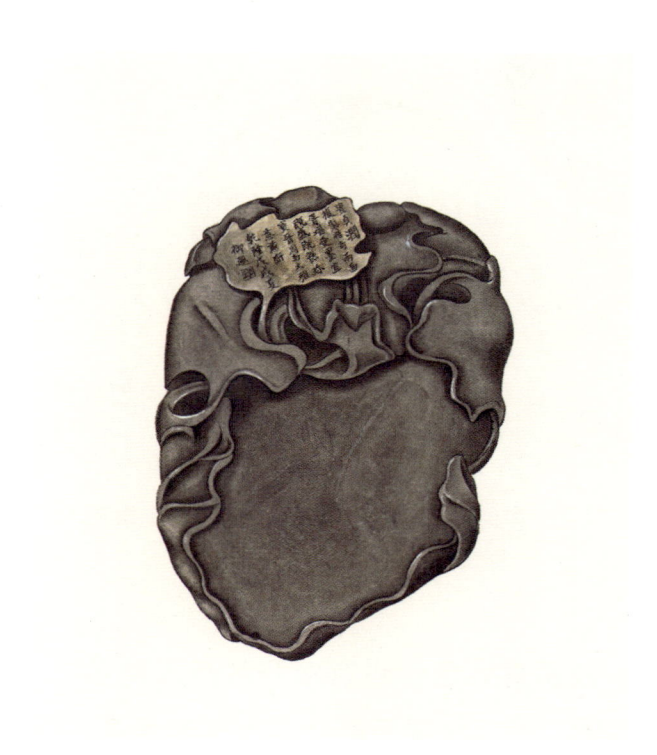

左图中的砚，是宋代大书画家米芾的"螽（zhōng）斯瓜瓞（dié）砚"。米芾喜欢砚台是出了名的，有一次，皇帝叫他写字，他看到那块砚很好，就请求皇帝赐给他，皇帝当时就答

⊙ 螽斯瓜瓞砚

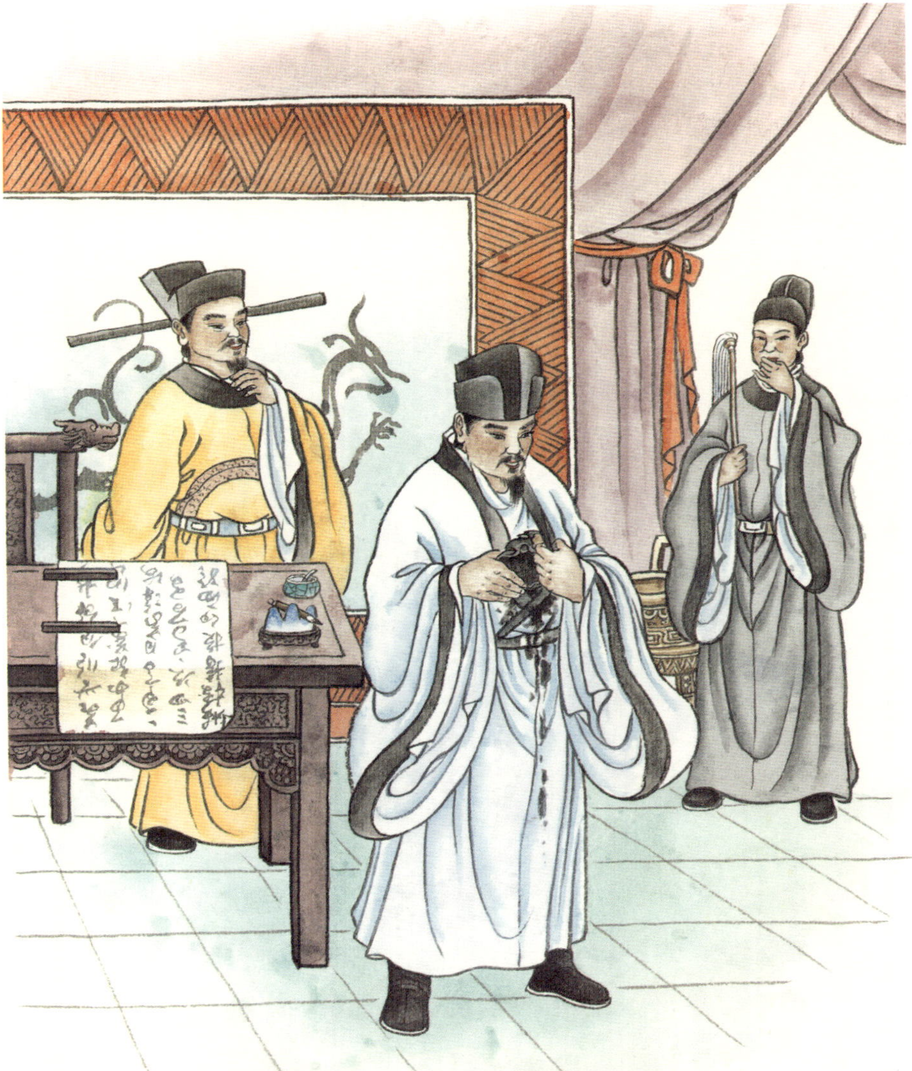

⊙ 清 道光壬午计楠铭凤凰池端砚，上海博物馆藏

应了。等他写完了字，也不管砚台里还有墨汁，就急忙揣在怀里，好像怕皇帝反悔似的，弄得一身黑墨，他也不在乎。

上面这两幅图是"凤凰池端砚"，是清朝书画家计楠的一方端砚，深棕色。因为砚上贮水的那块小墨池，被做成一只凤凰的形状，所以叫凤凰池端砚。可见，古人不但讲究砚的质料，连砚的形状都经过精心设计，追求好用又好看，其他写字用的纸、笔、墨更是讲究，难怪文人叫这几种东西为"文房四宝"了。

请你想一想

- "学富五车"这个成语是怎么来的？

- 最初的纸是用什么制造的？蔡伦对造纸有什么贡献？

- 说一说，竹子变成纸都经历了哪些步骤。

- 从出土的文物来看，我国何时就已用毛笔写字了？

- 蒙恬是什么时代的人？既然在蒙恬以前很多年就已经有了毛笔，为什么大家还说蒙恬造笔呢？

- 羊毫是用羊毛做的，紫毫是用什么做的呢？这两种毛笔哪个更适合用来写小楷？为什么？

- "墨妖"是谁命人制作的？你会用一斤黄金去买一两那样的墨吗？为什么？

- 一方砚台发墨但不渗墨是什么意思？端砚和歙砚分别出自哪两个省份？

- 说一说古人制墨的主要材料，并按照制墨的步骤给下面的几张图排出正确的顺序。